날고 싶은 핑키 부

글, 그림 ● 마르타 코치
Marta Koci

오리가 떼를 지어 날아가고 있습니다.
뜰에서 볕을 쬐던 핑키 부는 깜짝 놀랍니다.
"와, 멋지다. 목도 멋지고, 날개도 멋지고,
꼬리도 멋지고, 나는 모습까지도 멋지다!"

"난 왜 이렇게 뚱뚱해 보이지.
코도 배도 모두 둥글둥글.
그러니 아무리 발버둥쳐도 날 수가 있나!
몸은 온통 분홍색뿐이고,
어디 하나 멋진 곳이 있어야지."

"아, 나도 부 오리처럼
하늘을 날고 싶어."
"핑키 부, 또 엉뚱한
생각하고 있지 ?"

그래서 핑키 부는 하늘을 나는
부 오리가 되기 위해 작업실로 갔습니다.

우선 몸을 멋진 오리색으로 칠해야 합니다.
"오리가 어떤 색이었더라?
머리는 초록, 목은 빨강,
배는 파랑이었을 거야."

Koči '85

12

"야, 됐다, 어때, 멋있지?"
핑키 부가 색칠을 하고 난 뒤
작업실은 온통 물감투성이었습니다.

"이번에는 날개,
난 좀 무거우니까 아주 큰 날개여야겠지.
이 나뭇잎이 제일 좋겠다."
핑키 부 때문에 화분에 있는 나뭇잎이
없어져 버리고 말았습니다.

핑키 부는 오리들이 노는 곳으로 갔습니다.
"애들아, 나도 하늘을 나는 부 오리가 되었어.
같이 놀자."
"어이쿠, 이상한 오리다!"
오리들은 깜짝 놀라 도망칩니다.

이번에는 염소가 있는 데로 갔습니다.
그런데 염소도 깜짝 놀랍니다.
"가까이 오지마. 메헤헤에. 뿔로 받을 거야."

"애들아, 나 좀 봐."
"으악, 귀신이다."

"난 귀신이 아냐. 난 하늘을 날 거야."
핑키 부는 날개를 조심스럽게 들고,
높다란 사다리 꼭대기로 올라갔습니다.
"다들 보고 있니?
정말로 하늘을 나는 부 오리가 되었다니까."

"자, 난다.
모두들 날 잘 봐."
"앗, 핑키!
그만둬, 그만둬,
그만둬!"
핑키 부는 푸드득
푸드득 쿵…….

핑키 부는 바닥으로 풀썩 떨어져 어이쿠쿠쿠.
"역시 넌 분홍색으로 있는 게 멋져."
모두가 핑키 부의 몸을 깨끗하게 씻어 주었습니다.

WORLD PICTURE BOOK

날고 싶은 핑키 부

어린이 여러분께

제가 쓰는 핑키 부는 여러분들의 모습이에요. 매우 호기심이 강하고 장난치기 좋아하며 항상 돌발적인 짓만 하고 있어요. 외향적이고 왕성한 호기심은 어린이를 적극적으로 키워 주지요. 지금은 실패만 하고 있더라도, 그 실패들이 쌓여서 장래의 성장에 도움이 되리라고 생각해요. 여러분도 분명히 핑키 부에게 공감하리라고 기대하면서 이 이야기를 만들어 보았어요.

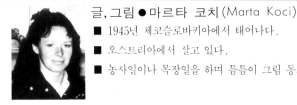

글, 그림 ● 마르타 코치 (Marta Koci)
■ 1945년 체코슬로바키아에서 태어나다.
■ 오스트리아에서 살고 있다.
■ 농사일이나 목장일을 하며 틈틈이 그림 동화를 만들고 있다.

World Picture Book ⓒ1985 Gakken Co., Ltd. Tokyo.
Korean edition published by Jung-ang Educational Foundation Ltd. by arrangement through Shin Won Literary Agency Co. Seoul, Korea.

■ 발행인 / 장평순   ■ 편집장 / 노동훈
■ 편집 / 박두이, 김옥경, 이향숙, 박선주, 양회숙, 김수열, 강혜숙
■ 제작 / 이해덕, 문상화, 장승철
■ 발행처 / 중앙교육연구원 (주) (서울시 종로구 관철동 258번지)
　　　　　　대표전화 / 735 - 9600, 등록번호 / 제2 - 178호
■ 인쇄처 / 갑우문화주식회사 (서울특별시 영등포구 양평동 1가 119번지)
■ 제본 / 태성제책 (주) (서울특별시 구로구 가리봉동 505 - 13)
■ 1판 1쇄 발행일 / 1988년 12월 30일, 1판 16쇄 발행일 / 1996년 10월 20일
■ ISBN 89 - 21 - 40248 - 9, ISBN 89 - 21 - 00003 - 8 (세트)